사고력 수학 소마가 개발한 연산학습의 새 기준!!
소마의 **마술같은 원리셈**

소마셈

A1
1학년

수학이 즐거워지는 특별한 수학교실
소마에서 개발한 연산교재 소마셈 **소마셈**

2002년 대치소마 개원 이후로 끊임없는 교재 연구와 교구의 개발은 소마의 자랑이자 자부심입니다. 교구, 게임, 토론 등의 다양한 활동식 수업으로 스스로 문제해결능력을 키우고, 아이들이 수학에 대한 흥미와 자신감을 가질 수 있도록 차별성 있는 수업을 해 온 소마에서 연산 학습의 새로운 패러다임을 제시합니다.

연산 교육의 현실

연산 교육의 가장 큰 폐해는 '초등 고학년 때 연산이 빠르지 않으면 고생한다.'는 기존 연산 학습지의 왜곡된 마케팅으로 인해 단순 반복을 통한 기계적 연산을 강조하는 것입니다. 하지만, 기계적 반복을 위주로 하는 연산은 개념과 원리가 빠진 연산 학습으로써 아이들이 수학을 싫어하게 만들 뿐 아니라 사고의 확장을 막는 학습방법입니다.

초등수학 교과과정과 연산

초등교육과정에서는 문자와 기호를 사용하지 않고 말로 풀어서 연산의 개념과 원리를 설명하다가 중등교육과정부터 문자와 기호를 사용합니다. 교과서를 살펴보면 모든 연산의 도입에 원리가 잘 설명되어 있습니다. 요즘 현실에서는 연산의 원리를 묻는 서술형 문제도 많이 출제되고 있는데 연산은 연습이 우선이라는 인식이 아직도 지배적입니다.

연산 학습은 어떻게?

연산 교육은 별도로 떼어내어 추상적인 숫자나 기호만 가지고 다뤄서는 절대로 안됩니다. 구체물을 가지고 생각하고 이해한 후, 연산 연습을 하는 것이 필요합니다. 또한, 속도보다 정확성을 위주로 학습하여 실수를 극복할 수 있는 좋은 습관을 갖추는 데에 초점을 맞춰야 합니다.

소마셈 연산학습 방법

 10이 넘는 한 자리 덧셈　　**구체물을 통한 개념의 이해**

덧셈과 뺄셈의 기본은 수를 세는 데에 있습니다. 8+4는 8에서 1씩 4번을 더 센 것이라는 개념이 중요합니다. 10의 보수를 이용한 받아 올림을 생각하면 8+4는 (8+2)+2지만 연산 공부를 시작할 때에는 덧셈의 기본 개념에 충실한 것이 좋습니다. 이 책은 구체물을 통해 개념을 이해할 수 있도록 구체적인 예를 든 연산 문제로 구성하였습니다.

 가로셈　　**가로셈을 통한 수에 대한 사고력 기르기**

세로셈이 잘못된 방법은 아니지만 연산의 원리는 잊고 받아 올림한 숫자는 어디에 적어야 하는지만을 기억하여 마치 공식처럼 풀게 합니다. 기계적으로 반복하는 연습은 생각없이 연산을 하게 만듭니다. 가로셈을 통해 원리를 생각하고 수를 쪼개고 붙이는 등의 과정에서 키워질 수 있는 수에 대한 사고력도 매우 중요합니다.

 곱셈구구　　**곱셈도 개념 이해를 바탕으로**

곱셈구구는 암기에만 초점을 맞추면 부작용이 큽니다. 곱셈은 덧셈을 압축한 것이라는 원리를 이해하며 구구단을 외움으로써 연산을 빨리 할 수 있다는 것을 알게 해야 합니다. 곱셈구구를 외우는 것도 중요하지만 곱셈의 의미를 정확하게 아는 것이 더 중요합니다. 4×3을 할 줄 아는 학생이 두 자리 곱하기 한 자리는 안 배워서 45×3을 못 한다고 말하는 일은 없도록 해야 합니다.

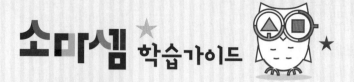

소마셈 학습가이드

K단계 (5, 6, 7세) • 연산을 시작하는 단계

뛰어세기, 거꾸로 뛰어세기를 통해 수의 연속한 성질(linearity)을 이해하고 덧셈, 뺄셈을 공부합니다. 각 권의 호흡은 짧지만 일관성 있는 접근으로 자연스럽게 나선형식 반복학습의 효과가 있도록 하였습니다.

학습대상 : 연산을 시작하는 아이와 한 자리 수 덧셈을 구체물(손가락 등)을 이용하여 해결하는 아이

학습목표 : 수와 연산의 튼튼한 기초 만들기

P단계 (7세, 1학년) • 받아올림이 있는 덧셈, 뺄셈을 배울 준비를 하는 단계

5, 6, 9 뛰어세기를 공부하면서 10을 이용한 더하기, 빼기의 편리함을 알도록 한 후, 가르기와 모으기의 집중학습으로 보수 익히기, 10의 보수를 이용한 덧셈, 뺄셈의 원리를 공부합니다.

학습대상 : 받아올림이 없는 한 자리 수의 덧셈을 할 줄 아는 학생

학습목표 : 받아올림이 있는 연산의 토대 만들기

A단계 (1학년) • 초등학교 1학년 교과과정 연산

받아올림이 있는 한 자리 수의 덧셈, 뺄셈은 연산 전체에 매우 중요한 단계입니다. 원리를 정확하게 알고 A1에서 A4까지 총 4권에서 한 자리 수의 연산을 다양한 과정으로 연습하도록 하였습니다.

학습대상 : 초등학교 1학년 수학교과과정을 공부하는 학생

학습목표 : 10의 보수를 이용한 받아올림이 있는 덧셈, 뺄셈

B단계 (2학년) • 초등학교 2학년 교과과정 연산

두 자리, 세 자리 수의 연산을 다룬 후 곱셈, 나눗셈을 다루는 과정에서 곱셈구구의 암기를 확인하기보다는 곱셈구구를 외우는데 도움이 되고, 곱셈, 나눗셈의 원리를 확장하여 사고할 수 있도록 하는데 초점을 맞추었습니다.

학습대상 : 초등학교 2학년 수학교과과정을 공부하는 학생

학습목표 : 덧셈, 뺄셈의 완성 / 곱셈, 나눗셈의 원리를 정확하게 알고 개념 확장

C단계 (3학년) • 초등학교 3, 4학년 교과과정 연산

B단계까지의 소마셈은 다양한 문제를 통해서 학생들이 즐겁게 연산을 공부하고 원리를 정확하게 알게 하는데 초점을 맞추었다면, C단계는 3학년 과정의 큰 수의 연산과 4학년 과정의 혼합 계산, 괄호를 사용한 식 등, 필수 연산의 연습을 충실히 할 수 있도록 하였습니다.

학습대상 : 초등학교 3, 4학년 수학교과과정을 공부하는 학생

학습목표 : 큰 수의 곱셈과 나눗셈, 혼합 계산

D단계 (4학년) • 초등학교 4, 5학년 교과과정 연산

분모가 같은 분수의 덧셈과 뺄셈, 소수의 덧셈과 뺄셈을 공부하여 초등 4학년 과정 연산을 마무리하고 초등 5학년 연산과정에서 가장 중요한 약수와 배수, 분모가 다른 분수의 덧셈과 뺄셈을 충분히 익힐 수 있도록 하였습니다.

학습대상 : 초등학교 4, 5학년 수학교과과정을 공부하는 학생

학습목표 : 분모가 같은 분수의 덧셈과 뺄셈, 소수의 덧셈과 뺄셈, 분모가 다른 분수의 덧셈과 뺄셈

소마셈 단계별 학습내용

K단계 추천연령 : 5, 6, 7세

단계	K1	K2	K3	K4
권별 주제	10까지의 더하기와 빼기 1	20까지의 더하기와 빼기 1	10까지의 더하기와 빼기 2	20까지의 더하기와 빼기 2
단계	K5	K6	K7	K8
권별 주제	10까지의 더하기와 빼기 3	20까지의 더하기와 빼기 3	20까지의 더하기와 빼기 4	7까지의 가르기와 모으기

P단계 추천연령 : 7세, 1학년

단계	P1	P2	P3	P4
권별 주제	30까지의 더하기와 빼기 5	30까지의 더하기와 빼기 6	30까지의 더하기와 빼기 10	30까지의 더하기와 빼기 9
단계	P5	P6	P7	P8
권별 주제	9까지의 가르기와 모으기	10 가르기와 모으기	10을 이용한 더하기	10을 이용한 빼기

A단계 추천연령 : 1학년

단계	A1	A2	A3	A4
권별 주제	덧셈구구	뺄셈구구	세 수의 덧셈과 뺄셈	□가 있는 덧셈과 뺄셈
단계	A5	A6	A7	A8
권별 주제	(두 자리 수) + (한 자리 수)	(두 자리 수) − (한 자리 수)	두 자리 수의 덧셈과 뺄셈	□가 있는 두 자리 수의 덧셈과 뺄셈

B단계 추천연령 : 2학년

단계	B1	B2	B3	B4
권별 주제	(두 자리 수) + (두 자리 수)	(두 자리 수) − (두 자리 수)	세 자리 수의 덧셈과 뺄셈	덧셈과 뺄셈의 활용
단계	B5	B6	B7	B8
권별 주제	곱셈	곱셈구구	나눗셈	곱셈과 나눗셈의 활용

C단계 추천연령 : 3학년

단계	C1	C2	C3	C4
권별 주제	두 자리 수의 곱셈	두 자리 수의 곱셈과 활용	두 자리 수의 나눗셈	세 자리 수의 나눗셈과 활용
단계	C5	C6	C7	C8
권별 주제	큰 수의 곱셈	큰 수의 나눗셈	혼합 계산	혼합 계산의 활용

D단계 추천연령 : 4학년

단계	D1	D2	D3	D4
권별 주제	분모가 같은 분수의 덧셈과 뺄셈(1)	분모가 같은 분수의 덧셈과 뺄셈(2)	소수의 덧셈과 뺄셈	약수와 배수
단계	D5	D6		
권별 주제	분모가 다른 분수의 덧셈과 뺄셈(1)	분모가 다른 분수의 덧셈과 뺄셈(2)		

구성과 특징

1

수 이야기

생활 속의 수 이야기를 통해 수와 연산의 이해를 돕습니다. 수의 역사나 재미있는 연산 문제를 접하면서 수학이 재미있는 공부가 되도록 합니다.

2

원리 & 연습

구체물 또는 그림을 통해 연산의 원리를 쉽게 이해하고, 원리의 이해를 바탕으로 연산이 익숙해지도록 연습합니다.

사고력 연산

반복적인 연산에서 나아가 배운 원리를 활용하여 확장된 문제를 해결합니다. 어려운 문제를 싣기보다 다양한 생각을 할 수 있는 내용으로 구성하였습니다.

Drill (보충학습)

주차별 주제에 대한 연습이 더 필요한 경우 보충학습을 활용합니다.

 연산과정의 확인이 필수적인 주제는 Drill 의 양을 2배로 담았습니다.

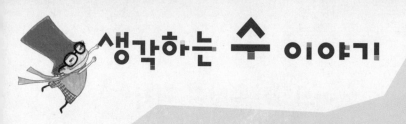

10 이야기

아프리카에는 5보다 큰 수는 모두 똑같이 많다고 이야기하는 부족이 있어요. 4살 어린아이도 사탕의 수를 세어보라고 하면 1개, 2개, 3개는 잘 세지만 4개가 넘어가면 세기를 어려워하기도 해요.

그렇다면, 수가 만들어지기 전에 원시인들은 수를 어떻게 세었을까요?

사람에게 수를 세기 가장 좋은 수단은 손가락이에요. 어쩌면 원시인들은 잠자리에 들기 전에 가족이 모두 무사히 들어왔는지를 손가락으로 세어 확인해 봤을지도 몰라요. 그런데, 위 그림에서 가족이 모두 9명인 집에 아기가 2명이 더 태어나면 어떻게 될까요?

손가락이 부족하기 때문에 손가락을 모두 펼친 10은 다른 곳에 표시를 해 놓고 손가락으로 한 명을 더 세었겠죠.

우리가 낱개의 수를 10씩 모아 십, 이십, 삼십으로 읽는 이유가 바로 우리 손가락이 10개이기 때문이랍니다.

소마셈 A1 - 1주차

더하기 2, 3, 4

빈칸 채우기

🌱 바람개비의 🍃 안에는 각 줄의 □ 안의 두 수의 합이 들어갑니다. 🍃 안
에 알맞은 수를 써넣으세요.

사탕의 개수에 따라 두 사람이 사탕을 나누어 먹을 수 있는 경우를 모두 찾아 □ 안에 알맞은 수를 써넣으세요. (두 사람 모두 적어도 1개씩은 먹습니다.)

10 만들어 더하기

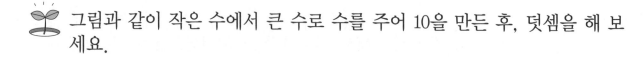 그림과 같이 작은 수에서 큰 수로 수를 주어 10을 만든 후, 덧셈을 해 보세요.

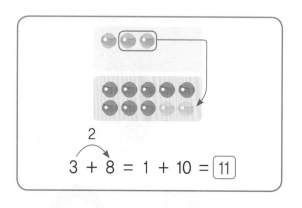

$$3 + 8 = 1 + 10 = \boxed{11}$$

$$3 + 7 =$$

$$2 + 9 =$$

$$4 + 9 =$$

$$4 + 7 =$$

$$3 + 9 =$$

$$2 + 8 =$$

$$4 + 8 =$$

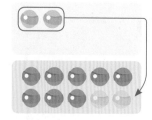

한 자리 수의 덧셈은 받아올림이 있는 경우, 작은 수의 일부를 큰 수에 주어서 큰 수를 10으로 만들어 계산하면 편리합니다.

□ 안에 알맞은 수를 써넣으세요.

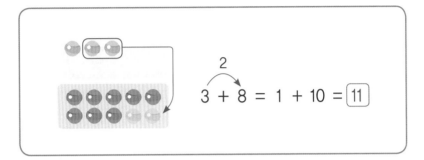

$$3 + 8 = 1 + 10 = \boxed{11}$$

$2 + 8 = \boxed{}$ $4 + 7 = \boxed{}$

$3 + 9 = \boxed{}$ $4 + 6 = \boxed{}$

$3 + 7 = \boxed{}$ $2 + 9 = \boxed{}$

$4 + 9 = \boxed{}$ $3 + 8 = \boxed{}$

$4 + 8 = \boxed{}$ $3 + 6 = \boxed{}$

2의 단, 3의 단, 4의 단

🌱 그림을 보고 2의 단 덧셈을 해 보세요.

◉◉◉	2 + 1 = 3
◉◉◉◉	2 + 2 =
◉◉◉◉◉	2 + 3 =
◉◉◉◉◉ ◉	2 + 4 =
◉◉◉◉◉ ◉◉	2 + 5 =
◉◉◉◉◉ ◉◉◉	2 + 6 =
◉◉◉◉◉ ◉◉◉◉	2 + 7 =
◉◉◉◉◉ ◉◉◉◉◉	2 + 8 =
◉　　　　◉◉◉◉◉ ◉◉◉◉◉	2 + 9 =

🌱 그림을 보고 3의 단 덧셈을 해 보세요.

●●●●	3 + 1 = 4
●●●●●	3 + 2 =
●●●●●●	3 + 3 =
●●●●●●	3 + 4 =
●●●●●●	3 + 5 =
●●●●●●	3 + 6 =
●●●●●●	3 + 7 =
● ●●●●●●●●●	3 + 8 =
●● ●●●●●●●●●	3 + 9 =

🌱 그림을 보고 4의 단 덧셈을 해 보세요.

●●●●●	4 + 1 = ☐ 5
●●●●● ●	4 + 2 = ☐
●●●●● ●●	4 + 3 = ☐
●●●●● ●●●	4 + 4 = ☐
●●●●● ●●●●	4 + 5 = ☐
●●●●● ●●●●●	4 + 6 = ☐
● ●●●●● ●●●●●	4 + 7 = ☐
●● ●●●●● ●●●●●	4 + 8 = ☐
●●● ●●●●● ●●●●●	4 + 9 = ☐

□ 안에 알맞은 수를 써넣으세요.

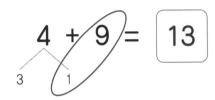

4 + 9 = $\boxed{13}$

4 + 8 = $\boxed{}$

2 + 9 = $\boxed{}$

3 + 7 = $\boxed{}$

4 + 6 = $\boxed{}$

2 + 7 = $\boxed{}$

3 + 9 = $\boxed{}$

4 + 7 = $\boxed{}$

3 + 6 = $\boxed{}$

3 + 8 = $\boxed{}$

2 + 8 = $\boxed{}$

4 + 5 = $\boxed{}$

덧셈 퍼즐

🌱 가로와 세로에 쓰여 있는 수의 합을 빈칸에 써넣으세요.

+	7	8	9	10
2	9	10 (2+8)	11	12

+	6	7	8	9
3				

+	6	7	8	9
4				

+	4	6	8	10
2				

+	3	5	7	9
3				

+	4	6	8	10
4				

+	1	4	7	10
3				

+	3	6	9
4			

합이 같은 것끼리 선으로 이어 보세요.

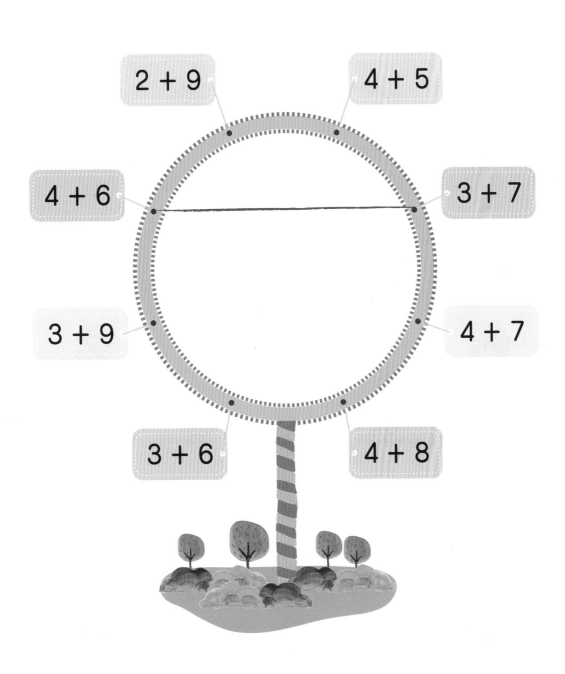

🌱 올바른 계산 결과가 되도록 길을 그려 보세요.

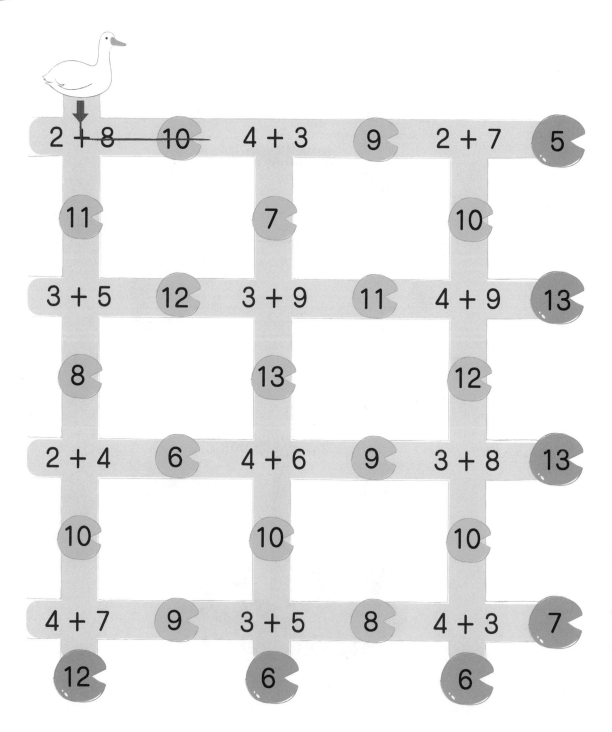

5 일 차 문장제

 이야기를 읽고, 정우가 가지고 있는 학습만화책은 몇 권인지 구하세요.

지난 설날에 정우는 삼촌에게 과학학습만화책 4권을 선물로 받았습니다. 정우는 학습만화책을 처음 보았는데 삼촌이 선물해 준 책을 보면서 과학을 좋아하게 되었고, 만화로 되어 있는 이야기가 너무 재미있었습니다.

추석이 되어 할아버지 댁에 다녀온 정우는 어른들에게 받은 용돈으로 수학학습만화책 8권을 샀습니다. 정우는 수학을 만화로 공부한다는 생각에 너무 즐거웠습니다.

정우가 가지고 있는 학습만화책은 모두 몇 권일까요?

식 : 4 + 8 = 12 _____ [ ] 권

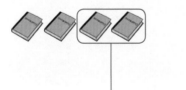

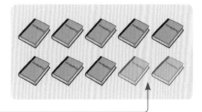

 다음을 읽고 알맞은 덧셈식을 쓰고, 답을 구하세요.

성수는 책상 서랍에 구슬을 3개 넣어두었습니다. 오늘 구슬 9개를 더 샀다
면 성수가 가지고 있는 구슬은 모두 몇 개일까요?

식 : _____

개

종호와 수미가 선생님께 칭찬스티커를 받았습니다. 종호는 4개, 수미는 7
개를 받았다면 두 사람이 받은 스티커는 모두 몇 개일까요?

식 : _____

개

다음을 읽고 알맞은 덧셈식을 쓰고, 답을 구하세요.

접시 위에 과일이 있습니다. 사과가 2개, 귤이 9개가 있다면 접시 위의 과일은 모두 몇 개일까요?

식 : _____   □ 개

동물원 우리 안에 오리와 거위가 있습니다. 오리가 3마리, 거위가 8마리라면 우리 안의 오리와 거위는 모두 몇 마리일까요?

식 : _____   □ 마리

재명이는 고양이와 강아지를 키웁니다. 고양이는 4마리, 강아지는 5마리라면 재명이가 키우는 고양이와 강아지는 모두 몇 마리일까요?

식 : _____   □ 마리

🌱 다음을 읽고 알맞은 덧셈식을 쓰고, 답을 구하세요.

세영이와 세영이의 동생이 색종이로 종이비행기를 접고 있습니다. 동생이 접은 비행기가 3개, 세영이가 접은 비행기가 6개라면 두 사람이 접은 종이비행기는 모두 몇 개일까요?

식 : _____

☐ 개

꽃밭에 노란 장미꽃이 3송이, 빨간 장미꽃이 7송이 피었습니다. 꽃밭에 핀 장미꽃은 모두 몇 송이일까요?

식 : _____

☐ 송이

주영이는 어항에 물고기를 2마리 키웁니다. 어느 날 아빠가 물고기 8마리를 더 사오셨습니다. 어항 속의 물고기는 모두 몇 마리일까요?

식 : _____

☐ 마리

소마셈 A1 – 2주차

더하기 9, 8

수 가르기

🌱 구슬의 개수에 따라 두 사람이 구슬을 나누어 가질 수 있는 경우를 모두 찾아 □ 안에 알맞은 수를 써넣으세요. (두 사람 모두 적어도 1개씩은 가집니다.)

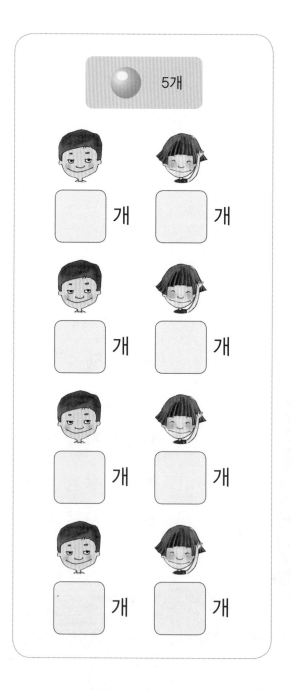

6과 7을 두 수로 갈랐습니다. 서로 다른 방법을 모두 찾아 □ 안에 알맞은 수를 써넣으세요. (두 사람 모두 적어도 1개씩은 가집니다.)

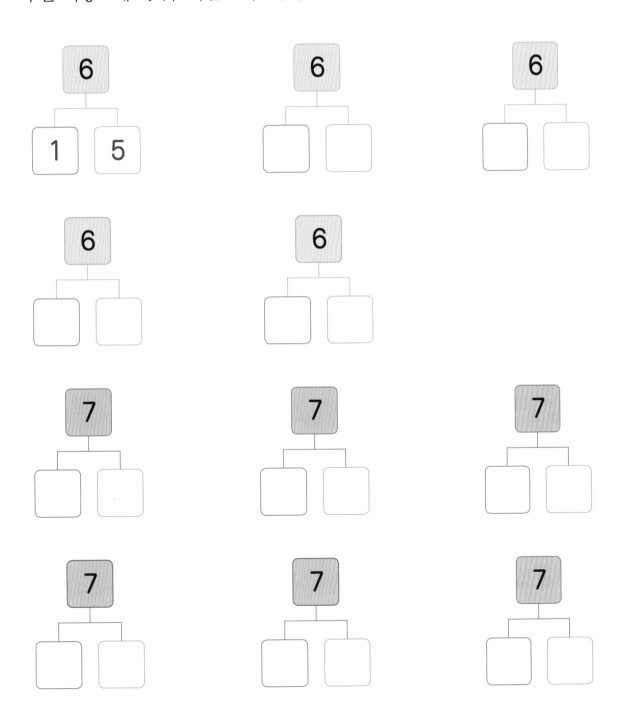

10 만들어 더하기

🌱 그림과 같이 작은 수에서 큰 수로 수를 주어 10을 만든 후, 덧셈을 해 보세요.

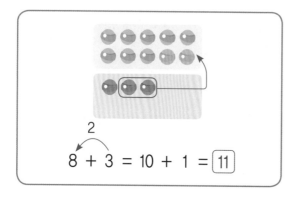

2

$8 + 3 = 10 + 1 = \boxed{11}$

$9 + 3 =$

$9 + 5 =$

$8 + 4 =$

$8 + 6 =$

$8 + 5 =$

$9 + 7 =$

$9 + 4 =$

□ 안에 알맞은 수를 써넣으세요.

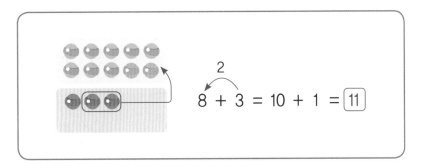

$$8 + 3 = 10 + 1 = \boxed{11}$$

9 + 7 = ☐　　　　9 + 4 = ☐

9 + 2 = ☐　　　　9 + 8 = ☐

8 + 5 = ☐　　　　8 + 4 = ☐

9 + 3 = ☐　　　　9 + 5 = ☐

8 + 6 = ☐　　　　8 + 2 = ☐

9의 단, 8의 단

🌱 그림을 보고 9의 단 덧셈을 해 보세요.

	9 + 1 = 10
	9 + 2 =
	9 + 3 =
	9 + 4 =
	9 + 5 =
	9 + 6 =
	9 + 7 =
	9 + 8 =
	9 + 9 =

그림을 보고 8의 단 덧셈을 해 보세요.

	8 + 1 = 9
	8 + 2 =
	8 + 3 =
	8 + 4 =
	8 + 5 =
	8 + 6 =
	8 + 7 =
	8 + 8 =
	8 + 9 =

 □ 안에 알맞은 수를 써넣으세요.

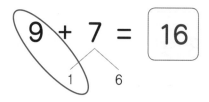
9 + 7 = 16
　　　1　　6

9 + 2 = □
　　1　　1

8 + 6 = □

8 + 7 = □

9 + 6 = □

9 + 8 = □

8 + 3 = □

8 + 5 = □

9 + 4 = □

8 + 8 = □

9 + 9 = □

9 + 3 = □

덧셈 퍼즐

가로와 세로에 쓰여 있는 수의 합을 빈칸에 써넣으세요.

+	1	2	3	4
8	9	10 (8+2)	11	12

+	1	2	3	4
9				

+	5	6	7	8
8				

+	5	6	7	8
9				

+	2	4	6	8
8				

+	2	5	8
8			

+	1	3	5	7	9
9					

+	1	4	7
9			

🌱 합이 ⭐ 안의 수가 되는 두 수를 모두 찾아 선을 그어 보세요.

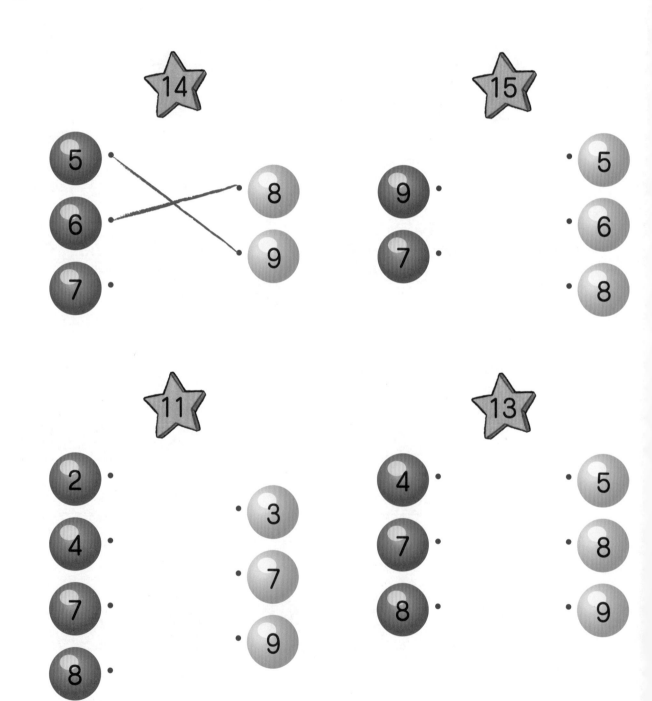

 올바른 계산 결과가 되도록 길을 그려 보세요.

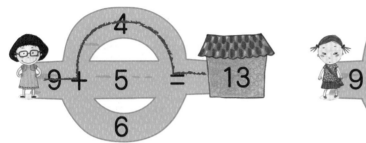

9 + [4 / 5 / 6] = 13

9 + [7 / 8 / 9] = 17

8 + [5 / 6 / 7] = 13

8 + [6 / 7 / 8] = 14

9 + [6 / 4 / 5] = 14

9 + [7 / 5 / 6] = 15

문장제

 이야기를 읽고, 호승이의 나이를 구하세요.

박정운은 8살 여자 어린이입니다. 정운이의 오빠는 중학생인데 학교에서 잘생기기로 유명합니다.

정운이의 오빠는 이름이 박호승인데, 호승이는 종종 정운이에게 아이스크림을 사주곤 합니다. 동생과 나이 차이가 6살이나 나기 때문인지 동생에게 아주 자상합니다.

호승이는 몇 살일까요?

식 : 살

박정운
8살

박호승
? 살

다음을 읽고 알맞은 덧셈식을 쓰고, 답을 구하세요.

세호는 어머니와 송편을 만들고 있습니다. 세호가 만든 송편은 9개이고, 어머니가 만드신 송편은 5개입니다. 두 사람이 만든 송편은 모두 몇 개일까요?

식 : _____

개

지훈이는 색종이 접기를 하고 있습니다. 색종이를 한 장씩 접어서 동물을 9장 접고, 꽃을 7장 접었습니다. 지훈이가 사용한 색종이는 모두 몇 장일까요?

식 : _____

장

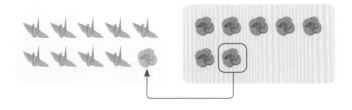

 다음을 읽고 알맞은 덧셈식을 쓰고, 답을 구하세요.

동물원 우리 안에 회색 토끼가 8마리, 하얀 토끼가 8마리 있습니다. 이 우리 안의 토끼는 모두 몇 마리일까요?

식 : 　　　　　　　　　　　　　　　　　　　　　 　　 마리

호빵을 좋아하는 호종이는 야채호빵을 9개, 팥호빵을 2개 먹었습니다. 호종이가 먹은 호빵은 모두 몇 개일까요?

식 : 　　　　　　　　　　　　　　　　　　　　　 　　 개

운동장에서 놀고 있는 남학생이 8명, 여학생이 7명입니다. 운동장에 있는 학생은 모두 몇 명일까요?

식 : 　　　　　　　　　　　　　　　　　　　　　 　　 명

다음을 읽고 알맞은 덧셈식을 쓰고, 답을 구하세요.

문수는 8살인데 문수의 형은 문수보다 6살이 많습니다. 문수의 형은 몇 살일까요?

식 : _____   □ 살

쟁반에 귤이 있습니다. 형이 9개를 먹고 동생이 4개를 먹었더니 귤을 모두 먹었습니다. 쟁반에 있던 귤은 모두 몇 개일까요?

식 : _____   □ 개

버스 안에 남자가 4명, 여자가 9명 있습니다. 다음 정류장에서 남자가 7명, 여자가 3명 탔습니다. 버스 안에 있는 여자는 모두 몇 명일까요?

식 : _____   □ 명

Note

소마셈 A1 – 3주차

더하기 7, 6

10 만들어 더하기 (1)

🌱 그림과 같이 작은 수에서 큰 수로 수를 주어 10을 만든 후, 덧셈을 해 보세요.

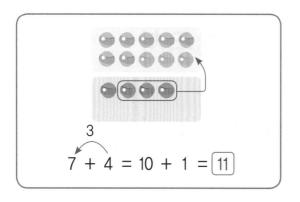

$$3$$
$$7 + 4 = 10 + 1 = \boxed{11}$$

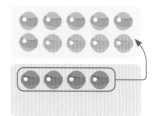

6 + 4 = ☐

6 + 5 = ☐

7 + 5 = ☐

7 + 6 = ☐

7 + 7 = ☐

7 + 3 = ☐

6 + 6 = ☐

작은 수에서 큰 수로 수를 주어서 10을 만들어 덧셈을 해 보세요.

$$7 + 4 = 10 + 1 = \boxed{11}$$

$7 + 5 = \boxed{}$ $6 + 4 = \boxed{}$

$7 + 3 = \boxed{}$ $7 + 6 = \boxed{}$

$6 + 5 = \boxed{}$ $6 + 6 = \boxed{}$

$7 + 6 = \boxed{}$ $7 + 4 = \boxed{}$

$7 + 7 = \boxed{}$ $7 + 5 = \boxed{}$

10 만들어 더하기 (2)

 그림과 같이 작은 수에서 큰 수로 수를 주어 10을 만든 후, 덧셈을 해 보세요.

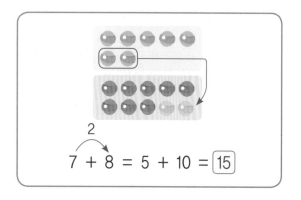

$$7 + 8 = 5 + 10 = \boxed{15}$$

7 + 9 = ☐

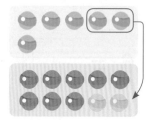

6 + 8 = ☐

6 + 7 = ☐

7 + 7 = ☐

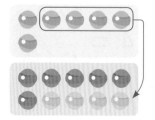

6 + 6 = ☐

7 + 8 = ☐

6 + 9 = ☐

작은 수에서 큰 수로 수를 주어서 10을 만들어 덧셈을 해 보세요.

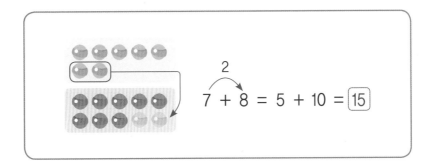

$$7 + 8 = 5 + 10 = \boxed{15}$$

7 + 7 = ☐   7 + 9 = ☐

6 + 7 = ☐   6 + 9 = ☐

7 + 8 = ☐   6 + 6 = ☐

7 + 6 = ☐   7 + 9 = ☐

6 + 8 = ☐   6 + 7 = ☐

7의 단, 6의 단

그림을 보고 7의 단 덧셈을 해 보세요.

	7 + 1 = 8
	7 + 2 =
	7 + 3 =
	7 + 4 =
	7 + 5 =
	7 + 6 =
	7 + 7 =
	7 + 8 =
	7 + 9 =

🌱 그림을 보고 6의 단 덧셈을 해 보세요.

⬤⬤⬤⬤⬤ ⬤⬤	6 + 1 = ⬚ 7
⬤⬤⬤⬤⬤ ⬤⬤⬤	6 + 2 = ⬚
⬤⬤⬤⬤⬤ ⬤⬤⬤⬤	6 + 3 = ⬚
⬤⬤⬤⬤⬤ ⬤⬤⬤⬤⬤	6 + 4 = ⬚
⬤⬤⬤⬤⬤ ⬤ ⬤⬤⬤⬤⬤	6 + 5 = ⬚
⬤⬤⬤⬤⬤ ⬤⬤ ⬤⬤⬤⬤⬤	6 + 6 = ⬚
⬤⬤⬤ ⬤⬤⬤⬤⬤ ⬤⬤⬤⬤⬤	6 + 7 = ⬚
⬤⬤⬤⬤ ⬤⬤⬤⬤⬤ ⬤⬤⬤⬤⬤	6 + 8 = ⬚
⬤⬤⬤⬤⬤ ⬤⬤⬤⬤⬤ ⬤⬤⬤⬤	6 + 9 = ⬚

 □ 안에 알맞은 수를 써넣으세요.

$6 + 8 =$ □ $7 + 5 =$ □

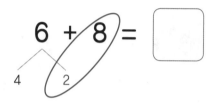

$8 + 6 =$ □ $6 + 9 =$ □

$6 + 5 =$ □ $7 + 3 =$ □

$7 + 7 =$ □ $6 + 7 =$ □

$7 + 9 =$ □ $6 + 6 =$ □

$7 + 4 =$ □ $7 + 8 =$ □

덧셈 퍼즐

 가로와 세로에 쓰여 있는 수의 합을 빈칸에 써넣으세요.

+	1	2	3	4
7	8	9	10 (7+3)	11

+	3	4	5	6
6				

+	3	4	5	6
7				

+	6	7	8	9
6				

+	2	4	6	8
6				

+	1	4	7
6			

+	3	5	7	9
7				

+	3	6	9
7			

🌱 규칙에 맞게 빈칸에 알맞은 수를 써넣으세요.

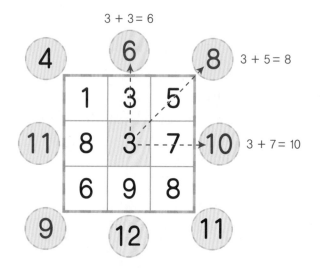

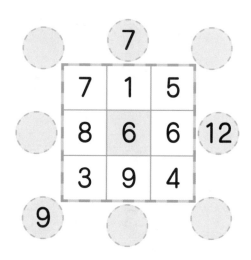

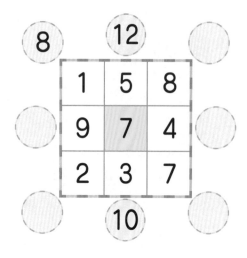

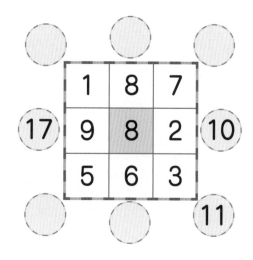

올바른 계산 결과가 되도록 길을 그려 보세요.

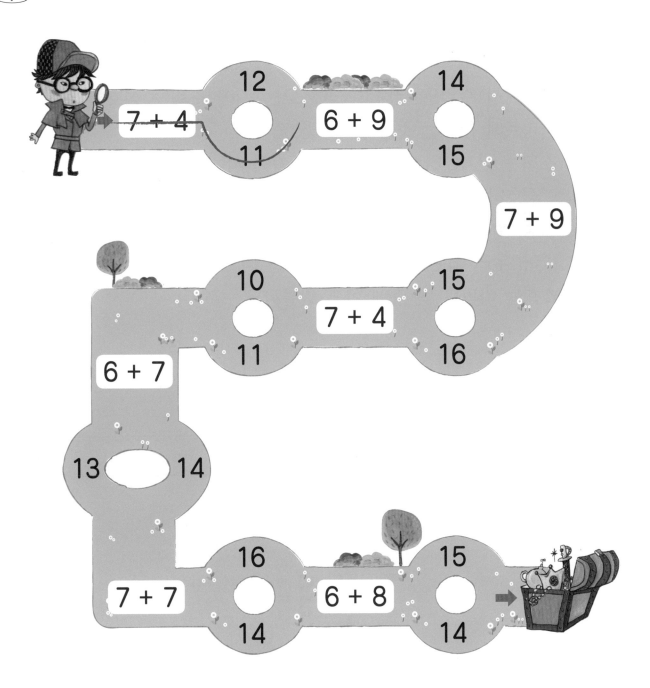

문장제

 이야기를 읽고, 소희네 집이 몇 층인지 구하세요.

8살이 되어 학교에 입학한 소희는 정호와 짝이 되었습니다. 학교에서 수업이 끝나고 집에 오는 길에 소희는 정호와 같은 아파트에 산다는 것을 알게 되었습니다.

소희는 신기해하며 정호에게 몇 층에 사는지 물었습니다.

"정호야, 넌 몇 층에 살아?"

"응, 우리 집은 7층이야."

"아! 우리 집은 너희 집보다 8층을 더 올라가야 해."

소희는 아파트 몇 층에 살고 있을까요?

식 : _____

☐ 층

다음을 읽고 알맞은 덧셈식을 쓰고, 답을 구하세요.

재영이네 집 마당에 채송화와 국화가 피었습니다. 채송화는 7송이가 피었고, 국화는 6송이가 피었다면 재영이네 집 마당에 핀 꽃은 모두 몇 송이일까요?

식 : _____   [ ] 송이

준영이가 학교에서 축구를 하는데 준영이네 팀이 6골을 넣고 상대 팀이 5골을 넣었습니다. 두 팀이 넣은 골은 모두 몇 골일까요?

식 : _____   [ ] 골

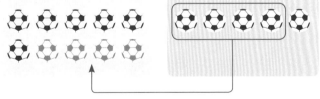

 다음을 읽고 알맞은 덧셈식을 쓰고, 답을 구하세요.

필통에 연필과 볼펜이 6자루씩 들어있습니다. 필통 안의 연필과 볼펜은 모두 몇 자루일까요?

식 : _____

자루

공원에 참새 7마리가 앉아서 모이를 먹고 있는데 비둘기 5마리가 날아왔습니다. 공원에 모인 새는 모두 몇 마리일까요?

식 : _____

마리

호성이는 올해 6살입니다. 호성이의 형은 호성이보다 4살이 많습니다. 호성이의 형은 몇 살일까요?

식 : _____

살

 다음을 읽고 알맞은 덧셈식을 쓰고, 답을 구하세요.

재명이가 딱지 7개를 만들어서 진수와 딱지치기를 했습니다. 진수에게 이겨 딱지를 4개 얻었다면 재명이가 가지고 있는 딱지는 모두 몇 개일까요?

식 :

☐ 개

성우는 지난주에 7권의 책을 읽고 이번 주에는 또 9권의 책을 읽었습니다. 성우가 지난주와 이번 주에 읽은 책은 모두 몇 권일까요?

식 :

☐ 권

주성이는 6살입니다. 주성이의 형은 주성이보다 8살이 더 많습니다. 주성이의 형은 몇 살일까요?

식 :

☐ 살

소마셈 A1 - 4주차

더하기 5

빈칸 채우기

 빈칸에 5 작은 수와 5 큰 수를 써 보세요.

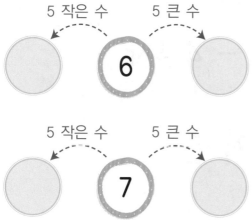

5 작은 수　　5 큰 수

6

5 작은 수　　5 큰 수

8

5 작은 수　　5 큰 수

7

5 작은 수　　5 큰 수

10

5 작은 수　　5 큰 수

9

 □ 안에 알맞은 수를 써넣으세요.

$5 + 2 = \boxed{}$

$5 + 4 = \boxed{}$

$3 + 5 = \boxed{}$

$1 + 5 = \boxed{}$

안의 수와 5 차이 나는 수를 모두 찾아 선을 그어 보세요.

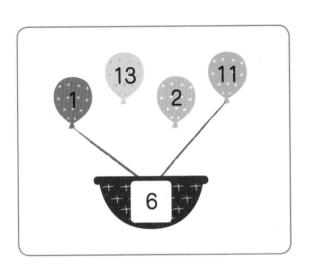

10 만들어 더하기

🌱 그림을 보고 10을 만들어 덧셈을 해 보세요.

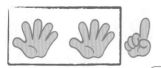

5 + 6 = 11

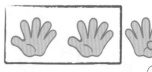

5 + 9 =

5 + 5 =

7 + 5 =

5 + 8 =

6 + 5 =

9 + 5 =

5 + 7 =

 TIP

5가 2개면 10이라는 것을 이용하여 10을 만들어 덧셈을 할 수 있습니다. 아이들은 더하기 5 연산을 쉬워하기 때문에 원리를 익혀 놓으면 연산속도를 높이는 데 도움이 됩니다.

그림을 보고 10을 만들어 덧셈을 해 보세요.

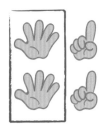

6 + 6 = 12

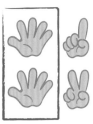

6 + 7 =

6 + 9 =

7 + 8 =

7 + 7 =

8 + 6 =

 10을 만들어 덧셈을 해 보세요.

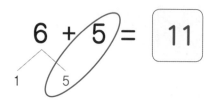 = 11   7 + 6 = ☐

7 + 5 = ☐   6 + 6 = ☐

5 + 8 = ☐   7 + 7 = ☐

5 + 9 = ☐   6 + 8 = ☐

9 + 6 = ☐   6 + 6 = ☐

5 + 5 = ☐   7 + 8 = ☐

5의 단

 그림을 보고 5의 단 덧셈을 해 보세요.

🖐 ☝	5 + 1 = 6
🖐 ✌	5 + 2 =
🖐 ✌	5 + 3 =
🖐 ✋	5 + 4 =
🖐 🖐	5 + 5 =
🖐 🖐 ☝	5 + 6 =
🖐 🖐 ✌	5 + 7 =
🖐 🖐 ✌	5 + 8 =
🖐 🖐 ✌	5 + 9 =

□ 안에 알맞은 수를 써넣으세요.

5 + 3 = ☐   7 + 5 = ☐

4 + 5 = ☐   6 + 5 = ☐

1 + 5 = ☐   5 + 7 = ☐

5 + 2 = ☐   9 + 5 = ☐

8 + 5 = ☐   5 + 6 = ☐

5 + 4 = ☐   5 + 8 = ☐

덧셈 퍼즐

 가로와 세로에 쓰여 있는 수의 합을 빈칸에 써넣으세요.

+	5	6	7	8	9
5	10 (5+5)				

+	1	4	7
5			

+	1	3	5	7	9
5					

+	4	6	8
5			

 □ 안에 알맞은 수를 써넣으세요.

$$1 + 5 = \boxed{}$$

$$2 + 5 = \boxed{}$$

$$\begin{array}{c} \boxed{} \\ + \\ 5 \\ = \\ \boxed{} \end{array}$$

$$\begin{array}{c} 3 \\ + \\ 5 \\ = \\ \boxed{} + 5 = \boxed{} \end{array}$$

$$\begin{array}{c} 4 \\ + \\ 5 \\ = \\ \boxed{} + 5 = \boxed{} \end{array}$$

 아래의 두 수의 합이 바로 위의 수가 되도록 □ 안에 알맞은 수를 써넣으세요.

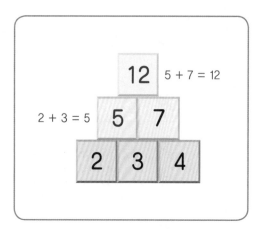

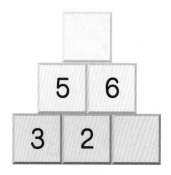

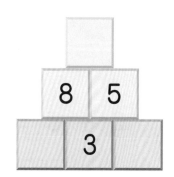

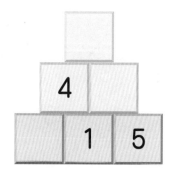

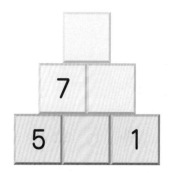

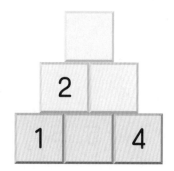

문장제

 이야기를 읽고, 형우네 집이 몇 층인지 구하세요.

> 오늘은 엘리베이터가 수리 중으로
> 운행할 수 없습니다.

형우네 아파트의 엘리베이터가 고장이 나서 형우는 계단으로 집에 올라가고 있습니다. 9층까지 올라온 형우는 너무 힘들어서 잠시 쉬었습니다.

다시 힘을 내어 5층을 더 올라갔더니 집에 도착하였습니다.

형우네 집은 몇 층일까요?

식 : _____ 층

 다음을 읽고 알맞은 덧셈식을 쓰고, 답을 구하세요.

바구니에 야구공 5개와 테니스공 8개가 들어 있습니다. 바구니에 담긴 공은 모두 몇 개일까요?

식 : _____

개

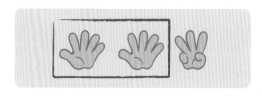

준수는 고양이를 5마리 키우고 있습니다. 어느 날 그 중 한 마리의 고양이가 6마리의 새끼를 낳았습니다. 준수네 집의 고양이는 모두 몇 마리가 되었을까요?

식 : _____

마리

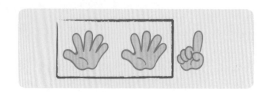

다음을 읽고 알맞은 덧셈식을 쓰고, 답을 구하세요.

어느 시골집에서 강아지를 7마리, 고양이를 5마리 키우고 있습니다. 이 집에서 키우는 강아지와 고양이는 모두 몇 마리일까요?

식 : _____

마리

세훈이가 학교에 갔더니 5명의 친구들이 세훈이보다 먼저 학교에 와 있었습니다. 세훈이는 오늘 몇 번째로 학교에 온 학생일까요?

식 : _____

번째

재성이네 사촌 누나는 재성이보다 4살이 많습니다. 재성이는 어린이집에 다니는 5살 아이입니다. 재성이의 사촌 누나는 몇 살일까요?

식 : _____

살

다음을 읽고 알맞은 덧셈식을 쓰고, 답을 구하세요.

형과 동생이 사탕을 먹고 있습니다. 형은 사탕 5개를 먹고, 동생은 9개를 먹었다면 두 사람이 먹은 사탕은 모두 몇 개일까요?

식 : _____

[ ] 개

유정이는 색종이 5장을 가지고 있습니다. 수현이는 유정이보다 색종이 5장을 더 가지고 있습니다. 수현이가 가진 색종이는 몇 장일까요?

식 : _____

[ ] 장

주영이는 어항에 금붕어를 5마리 키웁니다. 어느 날 아빠가 금붕어 8마리, 열대어 3마리를 사오셨습니다. 어항 속의 금붕어는 모두 몇 마리일까요?

식 : _____

[ ] 마리

보충학습

Drill

더하기 2, 3, 4

□ 안에 알맞은 수를 써넣으세요.

2 + 3 = ☐　　　3 + 4 = ☐

2 + 9 = ☐　　　4 + 8 = ☐

7 + 4 = ☐　　　5 + 4 = ☐

2 + 8 = ☐　　　7 + 3 = ☐

9 + 4 = ☐　　　4 + 4 = ☐

6 + 4 = ☐　　　3 + 9 = ☐

3 + 6 = ☐　　　2 + 7 = ☐

□ 안에 알맞은 수를 써넣으세요.

4 + 2 = ☐   3 + 5 = ☐

4 + 9 = ☐   3 + 8 = ☐

7 + 3 = ☐   4 + 8 = ☐

2 + 3 = ☐   2 + 9 = ☐

4 + 7 = ☐   3 + 4 = ☐

9 + 3 = ☐   3 + 3 = ☐

2 + 6 = ☐   2 + 5 = ☐

□ 안에 알맞은 수를 써넣으세요.

4 + 3 = ☐   3 + 7 = ☐

2 + 6 = ☐   8 + 3 = ☐

5 + 3 = ☐   9 + 4 = ☐

6 + 4 = ☐   9 + 3 = ☐

7 + 4 = ☐   3 + 2 = ☐

8 + 3 = ☐   3 + 6 = ☐

4 + 8 = ☐   3 + 5 = ☐

□ 안에 알맞은 수를 써넣으세요.

3 + 2 = ☐

3 + 5 = ☐

2 + 4 = ☐

2 + 9 = ☐

4 + 6 = ☐

9 + 2 = ☐

4 + 4 = ☐

4 + 9 = ☐

3 + 6 = ☐

4 + 5 = ☐

4 + 7 = ☐

3 + 3 = ☐

3 + 8 = ☐

2 + 7 = ☐

더하기 9, 8

□ 안에 알맞은 수를 써넣으세요.

9 + 2 = ☐   1 + 9 = ☐

9 + 9 = ☐   7 + 8 = ☐

7 + 8 = ☐   9 + 8 = ☐

2 + 9 = ☐   8 + 9 = ☐

4 + 9 = ☐   8 + 4 = ☐

9 + 3 = ☐   3 + 9 = ☐

2 + 8 = ☐   8 + 5 = ☐

□ 안에 알맞은 수를 써넣으세요.

8 + 8 = ☐   8 + 5 = ☐

1 + 8 = ☐   4 + 9 = ☐

7 + 9 = ☐   8 + 9 = ☐

8 + 3 = ☐   5 + 8 = ☐

8 + 7 = ☐   3 + 9 = ☐

2 + 8 = ☐   8 + 4 = ☐

9 + 6 = ☐   9 + 5 = ☐

□ 안에 알맞은 수를 써넣으세요.

$8 + 2 = \boxed{}$ $7 + 8 = \boxed{}$

$6 + 8 = \boxed{}$ $3 + 8 = \boxed{}$

$5 + 9 = \boxed{}$ $9 + 2 = \boxed{}$

$4 + 9 = \boxed{}$ $3 + 9 = \boxed{}$

$5 + 8 = \boxed{}$ $8 + 9 = \boxed{}$

$7 + 9 = \boxed{}$ $5 + 9 = \boxed{}$

$4 + 8 = \boxed{}$ $8 + 7 = \boxed{}$

□ 안에 알맞은 수를 써넣으세요.

9 + 1 = ☐

9 + 4 = ☐

3 + 8 = ☐

8 + 6 = ☐

8 + 4 = ☐

9 + 2 = ☐

9 + 5 = ☐

5 + 8 = ☐

9 + 3 = ☐

6 + 9 = ☐

7 + 8 = ☐

7 + 9 = ☐

8 + 8 = ☐

9 + 9 = ☐

□ 안에 알맞은 수를 써넣으세요.

6 + 8 = ☐   7 + 5 = ☐

1 + 7 = ☐   4 + 7 = ☐

7 + 6 = ☐   6 + 9 = ☐

8 + 6 = ☐   7 + 8 = ☐

7 + 7 = ☐   3 + 7 = ☐

2 + 7 = ☐   6 + 4 = ☐

6 + 6 = ☐   9 + 7 = ☐

□ 안에 알맞은 수를 써넣으세요.

7 + 1 = ☐   2 + 6 = ☐

6 + 7 = ☐   7 + 9 = ☐

7 + 7 = ☐   8 + 6 = ☐

7 + 3 = ☐   5 + 6 = ☐

8 + 6 = ☐   6 + 9 = ☐

7 + 8 = ☐   8 + 6 = ☐

1 + 6 = ☐   3 + 6 = ☐

□ 안에 알맞은 수를 써넣으세요.

6 + 4 = ☐   7 + 2 = ☐

2 + 6 = ☐   3 + 7 = ☐

5 + 6 = ☐   6 + 6 = ☐

4 + 7 = ☐   7 + 5 = ☐

5 + 7 = ☐   7 + 7 = ☐

6 + 7 = ☐   6 + 3 = ☐

8 + 7 = ☐   7 + 9 = ☐

□ 안에 알맞은 수를 써넣으세요.

7 + 4 = ☐   7 + 2 = ☐

6 + 2 = ☐   7 + 7 = ☐

7 + 3 = ☐   8 + 7 = ☐

9 + 6 = ☐   6 + 6 = ☐

5 + 6 = ☐   6 + 9 = ☐

7 + 5 = ☐   7 + 6 = ☐

2 + 6 = ☐   8 + 6 = ☐

□ 안에 알맞은 수를 써넣으세요.

5 + 8 = □

1 + 5 = □

5 + 9 = □

5 + 3 = □

5 + 7 = □

2 + 5 = □

5 + 6 = □

6 + 5 = □

7 + 5 = □

8 + 5 = □

5 + 5 = □

3 + 5 = □

5 + 4 = □

5 + 5 = □

□ 안에 알맞은 수를 써넣으세요.

8 + 5 = ☐

5 + 5 = ☐

4 + 5 = ☐

3 + 5 = ☐

7 + 5 = ☐

5 + 9 = ☐

5 + 9 = ☐

5 + 8 = ☐

8 + 5 = ☐

5 + 3 = ☐

5 + 6 = ☐

7 + 5 = ☐

5 + 4 = ☐

5 + 7 = ☐

□ 안에 알맞은 수를 써넣으세요.

$5 + 3 = \boxed{}$

$5 + 1 = \boxed{}$

$2 + 5 = \boxed{}$

$4 + 5 = \boxed{}$

$5 + 4 = \boxed{}$

$7 + 5 = \boxed{}$

$5 + 6 = \boxed{}$

$8 + 5 = \boxed{}$

$5 + 8 = \boxed{}$

$5 + 5 = \boxed{}$

$9 + 5 = \boxed{}$

$5 + 4 = \boxed{}$

$5 + 7 = \boxed{}$

$5 + 6 = \boxed{}$

□ 안에 알맞은 수를 써넣으세요.

5 + 5 = ☐   5 + 1 = ☐

3 + 5 = ☐   8 + 5 = ☐

4 + 5 = ☐   9 + 5 = ☐

5 + 6 = ☐   6 + 5 = ☐

5 + 7 = ☐   5 + 4 = ☐

5 + 8 = ☐   5 + 9 = ☐

5 + 6 = ☐   5 + 2 = ☐

Note

정답

정답

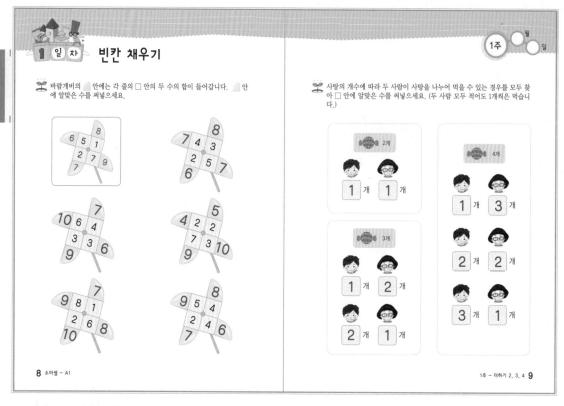

1 일 차   빈칸 채우기

바람개비의 ◆ 안에는 각 줄의 □ 안의 두 수의 합이 들어갑니다. ◆ 안에 알맞은 수를 써넣으세요.

사탕의 개수에 따라 두 사람이 사탕을 나누어 먹을 수 있는 경우를 모두 찾아 □ 안에 알맞은 수를 써넣으세요. (두 사람 모두 적어도 1개씩은 먹습니다.)

2개
1 개 1 개

4개
1 개 3 개
2 개 2 개
3 개 1 개

3개
1 개 2 개
2 개 1 개

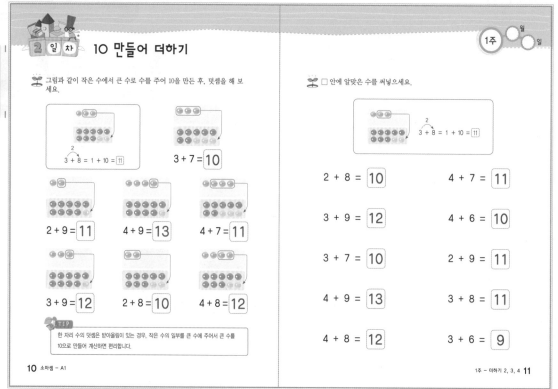

2 일 차   10 만들어 더하기

그림과 같이 작은 수에서 큰 수로 수를 주어 10을 만든 후, 덧셈을 해 보세요.

$3 + 8 = 1 + 10 = 11$

$3 + 7 = 10$

$2 + 9 = 11$ $4 + 9 = 13$ $4 + 7 = 11$

$3 + 9 = 12$ $2 + 8 = 10$ $4 + 8 = 12$

TIP

한 자리 수의 덧셈은 받아올림이 있는 경우, 작은 수의 일부를 큰 수에 주어서 큰 수를 10으로 만들어 계산하면 편리합니다.

□ 안에 알맞은 수를 써넣으세요.

$3 + 8 = 1 + 10 = 11$

$2 + 8 = 10$ $4 + 7 = 11$

$3 + 9 = 12$ $4 + 6 = 10$

$3 + 7 = 10$ $2 + 9 = 11$

$4 + 9 = 13$ $3 + 8 = 11$

$4 + 8 = 12$ $3 + 6 = 9$

2의 단, 3의 단, 4의 단

🌱 그림을 보고 2의 단 덧셈을 해 보세요.

● ● ●	2 + 1 = 3
● ● ● ●	2 + 2 = 4
● ● ● ● ●	2 + 3 = 5
● ● ● ● ●	2 + 4 = 6
● ● ● ● ●	2 + 5 = 7
● ● ● ● ●	2 + 6 = 8
● ● ● ● ●	2 + 7 = 9
● ● ● ● ●	2 + 8 = 10
● ● ● ● ●	2 + 9 = 11

🌱 그림을 보고 3의 단 덧셈을 해 보세요.

● ● ● ●	3 + 1 = 4
● ● ● ● ●	3 + 2 = 5
● ● ● ● ●	3 + 3 = 6
● ● ● ● ●	3 + 4 = 7
● ● ● ● ●	3 + 5 = 8
● ● ● ● ●	3 + 6 = 9
● ● ● ● ●	3 + 7 = 10
● ● ● ● ●	3 + 8 = 11
● ● ● ● ●	3 + 9 = 12

🌱 그림을 보고 4의 단 덧셈을 해 보세요.

● ● ● ●	4 + 1 = 5
● ● ● ● ●	4 + 2 = 6
● ● ● ● ●	4 + 3 = 7
● ● ● ● ●	4 + 4 = 8
● ● ● ● ●	4 + 5 = 9
● ● ● ● ●	4 + 6 = 10
● ● ● ● ●	4 + 7 = 11
● ● ● ● ●	4 + 8 = 12
● ● ● ● ●	4 + 9 = 13

🌱 □ 안에 알맞은 수를 써넣으세요.

4 + 9 = 13
  3 1

2 + 9 = 11

4 + 6 = 10

3 + 9 = 12

3 + 6 = 9

2 + 8 = 10

4 + 8 = 12
  2 2

3 + 7 = 10

2 + 7 = 9

4 + 7 = 11

3 + 8 = 11

4 + 5 = 9

4 일 차 — 덧셈 퍼즐

🌱 가로와 세로에 쓰여 있는 수의 합을 빈칸에 써넣으세요.

+	7	8	9	10
2	9	10	11	12

(10 = 2+8)

+	6	7	8	9
3	9	10	11	12

+	6	7	8	9
4	10	11	12	13

+	4	6	8	10
2	6	8	10	12

+	3	5	7	9
3	6	8	10	12

+	4	6	8	10
4	8	10	12	14

+	1	4	7	10
3	4	7	10	13

+	3	6	9
4	7	10	13

16 소마셈 – A1

1주 · 월 · 일

🌱 합이 같은 것끼리 선으로 이어 보세요.

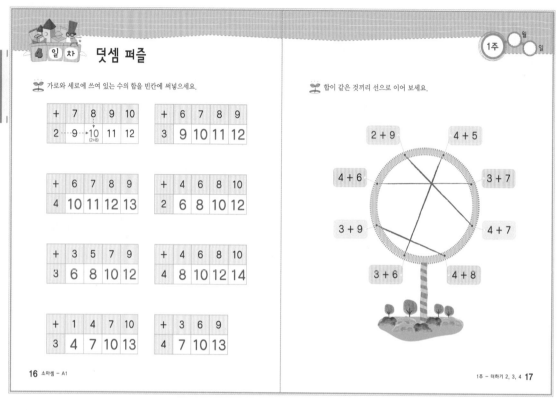

1주 – 더하기 2, 3, 4 **17**

1주

🌱 올바른 계산 결과가 되도록 길을 그려 보세요.

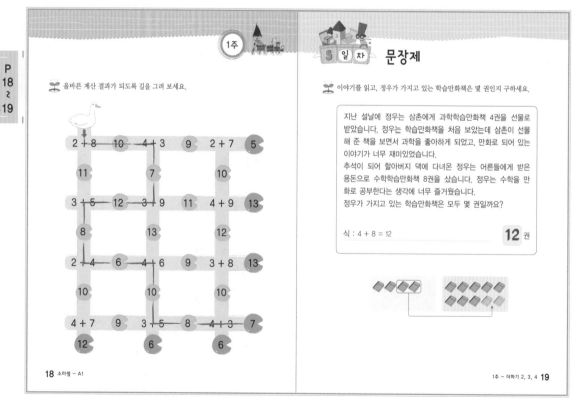

18 소마셈 – A1

---

5 일 차 — 문장제

🌱 이야기를 읽고, 정우가 가지고 있는 학습만화책은 몇 권인지 구하세요.

지난 설날에 정우는 삼촌에게 과학학습만화책 4권을 선물로 받았습니다. 정우는 학습만화책을 처음 보았는데 삼촌이 선물해 준 책을 보면서 과학을 좋아하게 되었고, 만화로 되어 있는 이야기가 너무 재미있었습니다.
추석이 되어 할아버지 댁에 다녀온 정우는 어른들에게 받은 용돈으로 수학학습만화책 8권을 샀습니다. 정우는 수학을 만화로 공부한다는 생각에 너무 즐거웠습니다.
정우가 가지고 있는 학습만화책은 모두 몇 권일까요?

식 : 4 + 8 = 12

12 권

1주 – 더하기 2, 3, 4 **19**

🌱 다음을 읽고 알맞은 덧셈식을 쓰고, 답을 구하세요.

성수는 책상 서랍에 구슬을 3개 넣어두었습니다. 오늘 구슬 9개를 더 샀다면 성수가 가지고 있는 구슬은 모두 몇 개일까요?

식 : 3 + 9 = 12   **12** 개

종호와 수미가 선생님께 칭찬스티커를 받았습니다. 종호는 4개, 수미는 7개를 받았다면 두 사람이 받은 스티커는 모두 몇 개일까요?

식 : 4 + 7 = 11   **11** 개

🌱 다음을 읽고 알맞은 덧셈식을 쓰고, 답을 구하세요.

접시 위에 과일이 있습니다. 사과가 2개, 귤이 9개가 있다면 접시 위의 과일은 모두 몇 개일까요?

식 : 2 + 9 = 11   **11** 개

동물원 우리 안에 오리와 거위가 있습니다. 오리가 3마리, 거위가 8마리라면 우리 안의 오리와 거위는 모두 몇 마리일까요?

식 : 3 + 8 = 11   **11** 마리

재명이는 고양이와 강아지를 키웁니다. 고양이는 4마리, 강아지는 5마리라면 재명이가 키우는 고양이와 강아지는 모두 몇 마리일까요?

식 : 4 + 5 = 9   **9** 마리

🌱 다음을 읽고 알맞은 덧셈식을 쓰고, 답을 구하세요.

세영이와 세영이의 동생이 색종이로 종이비행기를 접고 있습니다. 동생이 접은 비행기가 3개, 세영이가 접은 비행기가 6개라면 두 사람이 접은 종이비행기는 모두 몇 개일까요?

식 : 3 + 6 = 9   **9** 개

꽃밭에 노란 장미꽃이 3송이, 빨간 장미꽃이 7송이 피었습니다. 꽃밭에 핀 장미꽃은 모두 몇 송이일까요?

식 : 3 + 7 = 10   **10** 송이

주영이는 어항에 물고기를 2마리 키웁니다. 어느 날 아빠가 물고기 8마리를 더 사오셨습니다. 어항 속의 물고기는 모두 몇 마리일까요?

식 : 2 + 8 = 10   **10** 마리

P
24
~
25

1 일차 수 가르기

구슬의 개수에 따라 두 사람이 구슬을 나누어 가질 수 있는 경우를 모두 찾아 □ 안에 알맞은 수를 써넣으세요. (두 사람 모두 적어도 1개씩은 가집니다.)

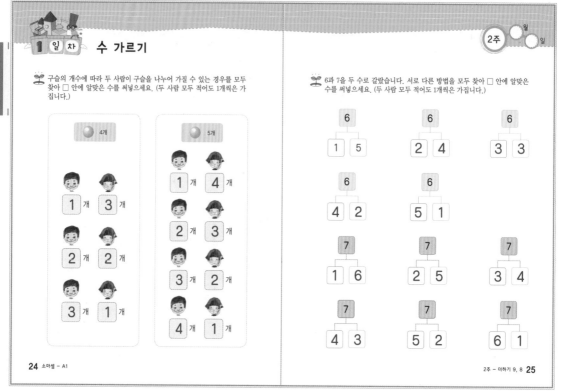

6과 7을 두 수로 갈랐습니다. 서로 다른 방법을 모두 찾아 □ 안에 알맞은 수를 써넣으세요. (두 사람 모두 적어도 1개씩은 가집니다.)

24 소마셈 – A1

P
26
~
27

2 일차 10 만들어 더하기

그림과 같이 작은 수에서 큰 수로 수를 주어 10을 만든 후, 덧셈을 해 보세요.

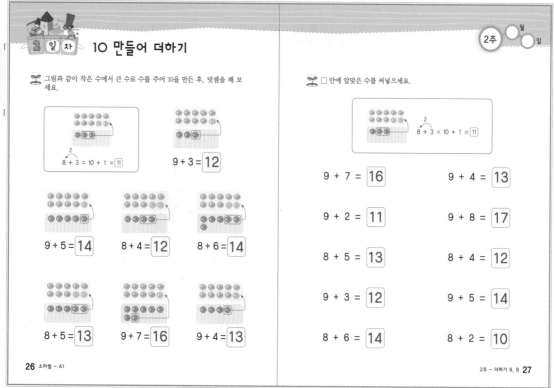

$8 + 3 = 10 + 1 = 11$

$9 + 3 = 12$

$9 + 5 = 14$ $8 + 4 = 12$ $8 + 6 = 14$

$8 + 5 = 13$ $9 + 7 = 16$ $9 + 4 = 13$

□ 안에 알맞은 수를 써넣으세요.

$8 + 3 = 10 + 1 = 11$

$9 + 7 = 16$ $9 + 4 = 13$

$9 + 2 = 11$ $9 + 8 = 17$

$8 + 5 = 13$ $8 + 4 = 12$

$9 + 3 = 12$ $9 + 5 = 14$

$8 + 6 = 14$ $8 + 2 = 10$

26 소마셈 – A1

9의 단, 8의 단

🌱 그림을 보고 9의 단 덧셈을 해 보세요.

그림	식
	9 + 1 = 10
	9 + 2 = 11
	9 + 3 = 12
	9 + 4 = 13
	9 + 5 = 14
	9 + 6 = 15
	9 + 7 = 16
	9 + 8 = 17
	9 + 9 = 18

28 소마셈 - A1

🌱 그림을 보고 8의 단 덧셈을 해 보세요.

그림	식
	8 + 1 = 9
	8 + 2 = 10
	8 + 3 = 11
	8 + 4 = 12
	8 + 5 = 13
	8 + 6 = 14
	8 + 7 = 15
	8 + 8 = 16
	8 + 9 = 17

2주 - 더하기 9, 8 **29**

(2주)

🌱 □ 안에 알맞은 수를 써넣으세요.

9 + 7 = 16

8 + 6 = 14

9 + 6 = 15

8 + 3 = 11

9 + 4 = 13

9 + 9 = 18

9 + 2 = 11

8 + 7 = 15

9 + 8 = 17

8 + 5 = 13

8 + 8 = 16

9 + 3 = 12

30 소마셈 - A1

덧셈 퍼즐

🌱 가로와 세로에 쓰여 있는 수의 합을 빈칸에 써넣으세요.

+	1	2	3	4
8	9	10 (8+2)	11	12

+	1	2	3	4
9	10	11	12	13

+	5	6	7	8
8	13	14	15	16

+	5	6	7	8
9	14	15	16	17

+	2	4	6	8
8	10	12	14	16

+	2	5	8
8	10	13	16

+	1	3	5	7	9
9	10	12	14	16	18

+	1	4	7
9	10	13	16

2주 - 더하기 9, 8 **31**

신나는 연산!

🌱 합이 ⭐ 안의 수가 되는 두 수를 모두 찾아 선을 그어 보세요.

🌱 올바른 계산 결과가 되도록 길을 그려 보세요.

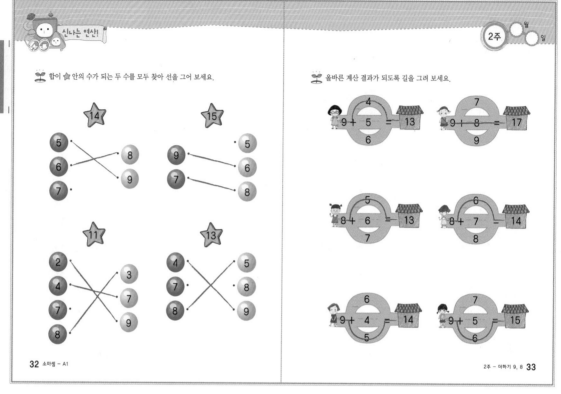

5 일차 문장제

🌱 이야기를 읽고, 호승이의 나이를 구하세요.

박정운은 8살 여자 어린이입니다. 정운이의 오빠는 중학생인
데 학교에서 잘생기기로 유명합니다.
정운이의 오빠는 이름이 박호승인데, 호승이는 종종 정운이에
게 아이스크림을 사주곤 합니다. 동생과 나이 차이가 6살이나
나기 때문인지 동생에게 아주 자상합니다.
호승이는 몇 살일까요?

식 : $8 + 6 = 14$ 14 살

박정운
8살

박호승
? 살

🌱 다음을 읽고 알맞은 덧셈식을 쓰고, 답을 구하세요.

세호는 어머니와 송편을 만들고 있습니다. 세호가 만든 송편은 9개이고,
어머니가 만드신 송편은 5개입니다. 두 사람이 만든 송편은 모두 몇 개일
까요?

식 : $9 + 5 = 14$ 14 개

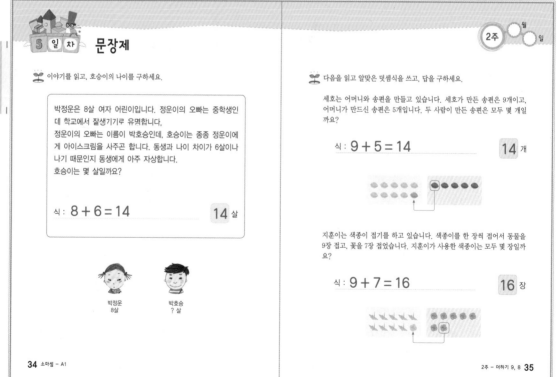

지훈이는 색종이 접기를 하고 있습니다. 색종이를 한 장씩 접어서 동물을
9장 접고, 꽃을 7장 접었습니다. 지훈이가 사용한 색종이는 모두 몇 장일까
요?

식 : $9 + 7 = 16$ 16 장

🌱 다음을 읽고 알맞은 덧셈식을 쓰고, 답을 구하세요.

동물원 우리 안에 회색 토끼가 8마리, 하얀 토끼가 8마리 있습니다. 이 우리 안의 토끼는 모두 몇 마리일까요?

식 : 8 + 8 = 16　　　**16** 마리

호빵을 좋아하는 호종이는 야채호빵을 9개, 팥호빵을 2개 먹었습니다. 호종이가 먹은 호빵은 모두 몇 개일까요?

식 : 9 + 2 = 11　　　**11** 개

운동장에서 놀고 있는 남학생이 8명, 여학생이 7명입니다. 운동장에 있는 학생은 모두 몇 명일까요?

식 : 8 + 7 = 15　　　**15** 명

🌱 다음을 읽고 알맞은 덧셈식을 쓰고, 답을 구하세요.

문수는 8살인데 문수의 형은 문수보다 6살이 많습니다. 문수의 형은 몇 살일까요?

식 : 8 + 6 = 14　　　**14** 살

쟁반에 귤이 있습니다. 형이 9개를 먹고 동생이 4개를 먹었더니 귤을 모두 먹었습니다. 쟁반에 있던 귤은 모두 몇 개일까요?

식 : 9 + 4 = 13　　　**13** 개

버스 안에 남자가 4명, 여자가 9명 있습니다. 다음 정류장에서 남자가 7명, 여자가 3명 탔습니다. 버스 안에 있는 여자는 모두 몇 명일까요?

식 : 9 + 3 = 12　　　**12** 명

P
40
~
41

1 일차 10 만들어 더하기 (1)

🌱 그림과 같이 작은 수에서 큰 수로 수를 주어 10을 만든 후, 덧셈을 해 보세요.

$7 + 4 = 10 + 1 = \boxed{11}$

$6 + 4 = \boxed{10}$

$6 + 5 = \boxed{11}$ $7 + 5 = \boxed{12}$ $7 + 6 = \boxed{13}$

$7 + 7 = \boxed{14}$ $7 + 3 = \boxed{10}$ $6 + 6 = \boxed{12}$

40 소마셈 – A1

🌱 작은 수에서 큰 수로 수를 주어서 10을 만들어 덧셈을 해 보세요.

$7 + 4 = 10 + 1 = \boxed{11}$

$7 + 5 = \boxed{12}$ $6 + 4 = \boxed{10}$

$7 + 3 = \boxed{10}$ $7 + 6 = \boxed{13}$

$6 + 5 = \boxed{11}$ $6 + 6 = \boxed{12}$

$7 + 6 = \boxed{13}$ $7 + 4 = \boxed{11}$

$7 + 7 = \boxed{14}$ $7 + 5 = \boxed{12}$

3주 – 더하기 7, 6 41

P
42
~
43

2 일차 10 만들어 더하기 (2)

🌱 그림과 같이 작은 수에서 큰 수로 수를 주어 10을 만든 후, 덧셈을 해 보세요.

$7 + 8 = 5 + 10 = \boxed{15}$

$7 + 9 = \boxed{16}$

$6 + 8 = \boxed{14}$ $6 + 7 = \boxed{13}$ $7 + 7 = \boxed{14}$

$6 + 6 = \boxed{12}$ $7 + 8 = \boxed{15}$ $6 + 9 = \boxed{15}$

42 소마셈 – A1

🌱 작은 수에서 큰 수로 수를 주어서 10을 만들어 덧셈을 해 보세요.

$7 + 8 = 5 + 10 = \boxed{15}$

$7 + 7 = \boxed{14}$ $7 + 9 = \boxed{16}$

$6 + 7 = \boxed{13}$ $6 + 9 = \boxed{15}$

$7 + 8 = \boxed{15}$ $6 + 6 = \boxed{12}$

$7 + 6 = \boxed{13}$ $7 + 9 = \boxed{16}$

$6 + 8 = \boxed{14}$ $6 + 7 = \boxed{13}$

3주 – 더하기 7, 6 43

3 일 차 7의 단, 6의 단

P 44 ~ 45

🌱 그림을 보고 7의 단 덧셈을 해 보세요.

그림	식
●●●●●●●●	7 + 1 = 8
●●●●●●●●●	7 + 2 = 9
●●●●●●●●●●	7 + 3 = 10
●●●●●●● ●	7 + 4 = 11
●●●●●●●	7 + 5 = 12
●●●●●●●	7 + 6 = 13
●●●●●●●	7 + 7 = 14
●●●●●●●	7 + 8 = 15
●●●●●●●	7 + 9 = 16

🌱 그림을 보고 6의 단 덧셈을 해 보세요.

그림	식
●●●●●●	6 + 1 = 7
●●●●●●	6 + 2 = 8
●●●●●●	6 + 3 = 9
●●●●●●	6 + 4 = 10
●●●●●●	6 + 5 = 11
●●●●●●	6 + 6 = 12
●●●●●●	6 + 7 = 13
●●●●●●	6 + 8 = 14
●●●●●●	6 + 9 = 15

---

4 일 차 덧셈 퍼즐

P 46 ~ 47

🌱 □ 안에 알맞은 수를 써넣으세요.

6 + 8 = 14

8 + 6 = 14

6 + 5 = 11

7 + 7 = 14

7 + 9 = 16

7 + 4 = 11

7 + 5 = 12

6 + 9 = 15

7 + 3 = 10

6 + 7 = 13

6 + 6 = 12

7 + 8 = 15

🌱 가로와 세로에 쓰여 있는 수의 합을 빈칸에 써넣으세요.

+	1	2	3	4
7	8	9	10 (7+3)	11

+	3	4	5	6
6	9	10	11	12

+	3	4	5	6
7	10	11	12	13

+	6	7	8	9
6	12	13	14	15

+	2	4	6	8
6	8	10	12	14

+	1	4	7
6	7	10	13

+	3	5	7	9
7	10	12	14	16

+	3	6	9
7	10	13	16

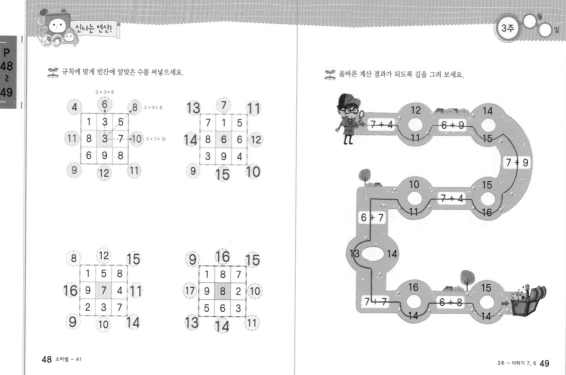

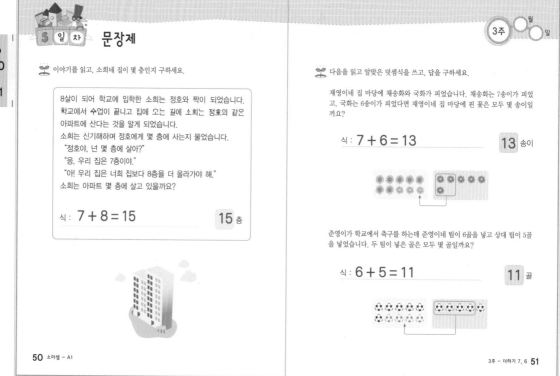

다음을 읽고 알맞은 덧셈식을 쓰고, 답을 구하세요.

필통에 연필과 볼펜이 6자루씩 들어있습니다. 필통 안의 연필과 볼펜은 모두 몇 자루일까요?

식 : 6 + 6 = 12　　　　　 **12** 자루

공원에 참새 7마리가 앉아서 모이를 먹고 있는데 비둘기 5마리가 날아왔습니다. 공원에 모인 새는 모두 몇 마리일까요?

식 : 7 + 5 = 12　　　　　 **12** 마리

호성이는 올해 6살입니다. 호성이의 형은 호성이보다 4살이 많습니다. 호성이의 형은 몇 살일까요?

식 : 6 + 4 = 10　　　　　 **10** 살

P 52 ~ 53

다음을 읽고 알맞은 덧셈식을 쓰고, 답을 구하세요.

재명이가 딱지 7개를 만들어서 진수와 딱지치기를 했습니다. 진수에게 이겨 딱지를 4개 얻었다면 재명이가 가지고 있는 딱지는 모두 몇 개일까요?

식 : 7 + 4 = 11　　　　　 **11** 개

성우는 지난주에 7권의 책을 읽고 이번 주에는 또 9권의 책을 읽었습니다. 성우가 지난주와 이번 주에 읽은 책은 모두 몇 권일까요?

식 : 7 + 9 = 16　　　　　 **16** 권

주성이는 6살입니다. 주성이의 형은 주성이보다 8살이 더 많습니다. 주성이의 형은 몇 살일까요?

식 : 6 + 8 = 14　　　　　 **14** 살

정답

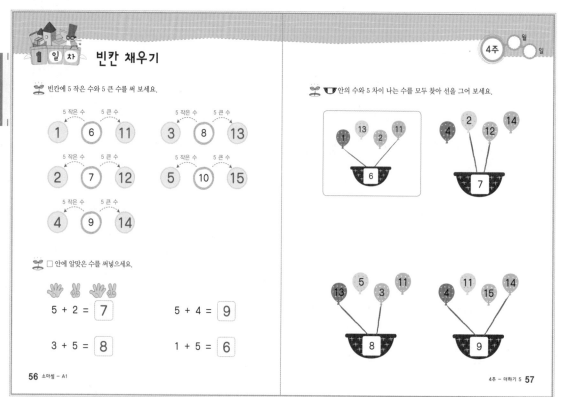

1 일 차 빈칸 채우기

빈칸에 5 작은 수와 5 큰 수를 써 보세요.

5 작은 수 → 1 → 5 큰 수 → 6 → 11

5 작은 수 → 3 → 5 큰 수 → 8 → 13

5 작은 수 → 2 → 5 큰 수 → 7 → 12

5 작은 수 → 5 → 5 큰 수 → 10 → 15

5 작은 수 → 4 → 5 큰 수 → 9 → 14

□ 안에 알맞은 수를 써넣으세요.

5 + 2 = 7   5 + 4 = 9

3 + 5 = 8   1 + 5 = 6

4주 – 더하기 5

안의 수와 5 차이 나는 수를 모두 찾아 선을 그어 보세요.

6 → 1, 11

7 → 2, 12

8 → 13, 3

9 → 4, 14

2 일 차 10 만들어 더하기

그림을 보고 10을 만들어 덧셈을 해 보세요.

5 + 6 = 11   5 + 9 = 14

5 + 5 = 10   7 + 5 = 12

5 + 8 = 13   6 + 5 = 11

9 + 5 = 14   5 + 7 = 12

TIP
5가 2개면 10이라는 것을 이용하여 10을 만들어 덧셈을 할 수 있습니다. 아이들은 더하기 5 연산을 쉬워하기 때문에 원리를 익혀 놓으면 연산속도를 높이는 데 도움이 됩니다.

그림을 보고 10을 만들어 덧셈을 해 보세요.

6 + 6 = 12   6 + 7 = 13

6 + 9 = 15   7 + 8 = 15

7 + 7 = 14   8 + 6 = 14

56 소마셈 – A1

4주 – 더하기 5 57

58 소마셈 – A1

4주 – 더하기 5 59

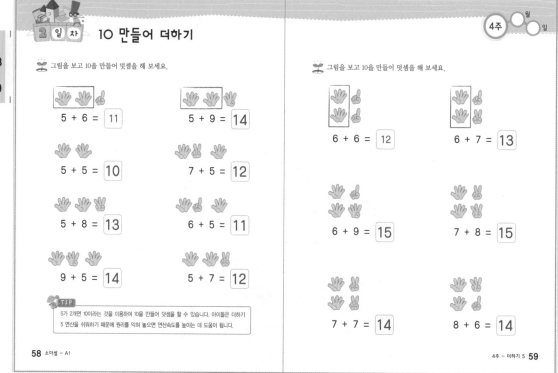

P 56 ~ 57

P 58 ~ 59

4주 월 일

4주

🌱 10을 만들어 덧셈을 해 보세요.

6 + 5 = 11

7 + 6 = 13

7 + 5 = 12

6 + 6 = 12

5 + 8 = 13

7 + 7 = 14

5 + 9 = 14

6 + 8 = 14

9 + 6 = 15

6 + 6 = 12

5 + 5 = 10

7 + 8 = 15

60 소마셈 – A1

3 일차 5의 단

🌱 그림을 보고 5의 단 덧셈을 해 보세요.

		5 + 1 = 6
		5 + 2 = 7
		5 + 3 = 8
		5 + 4 = 9
		5 + 5 = 10
		5 + 6 = 11
		5 + 7 = 12
		5 + 8 = 13
		5 + 9 = 14

4주 – 더하기 5 61

4주

🌱 □ 안에 알맞은 수를 써넣으세요.

5 + 3 = 8

7 + 5 = 12

4 + 5 = 9

6 + 5 = 11

1 + 5 = 6

5 + 7 = 12

5 + 2 = 7

9 + 5 = 14

8 + 5 = 13

5 + 6 = 11

5 + 4 = 9

5 + 8 = 13

62 소마셈 – A1

4 일차 덧셈 퍼즐

🌱 가로와 세로에 쓰여 있는 수의 합을 빈칸에 써넣으세요.

+	5	6	7	8	9
5	→10 (5+5)	11	12	13	14

+	1	4	7
5	6	9	12

+	1	3	5	7	9
5	6	8	10	12	14

+	4	6	8
5	9	11	13

🌱 □ 안에 알맞은 수를 써넣으세요.

1 + 5 = 6
+
5
=
3 + 5 = 11

8 + 5 = 13

2 + 5 = 7
+
5
=
4 + 5 = 12

9 + 5 = 14

4주 – 더하기 5 63

P 64 ~ 65

아래의 두 수의 합이 바로 위의 수가 되도록 □ 안에 알맞은 수를 써넣으세요.

```
        12  5 + 7 = 12
2 + 3 = 5  5   7
      2   3   4
```

```
      11
    5   6
  3   2   4
```

```
      13
    8   5
  5   3   2
```

```
      10
    4   6
  3   1   5
```

```
      10
    7   3
  5   2   1
```

```
      7
    2   5
  1   1   4
```

---

5 일 차 문장제

이야기를 읽고, 형우네 집이 몇 층인지 구하세요.

> 오늘은 엘리베이터가 수리 중으로 운행할 수 없습니다.

형우네 아파트의 엘리베이터가 고장이 나서 형우는 계단으로 집에 올라가고 있습니다. 9층까지 올라온 형우는 너무 힘들어서 잠시 쉬었습니다.
다시 힘을 내어 5층을 더 올라갔더니 집에 도착하였습니다.
형우네 집은 몇 층일까요?

식 : $9 + 5 = 14$ **14** 층

신나는 연산!

P 66 ~ 67

다음을 읽고 알맞은 덧셈식을 쓰고, 답을 구하세요.

바구니에 야구공 5개와 테니스공 8개가 들어 있습니다. 바구니에 담긴 공은 모두 몇 개일까요?

식 : $5 + 8 = 13$ **13** 개

준수는 고양이를 5마리 키우고 있습니다. 어느 날 그 중 한 마리의 고양이가 6마리의 새끼를 낳았습니다. 준수네 집의 고양이는 모두 몇 마리가 되었을까요?

식 : $5 + 6 = 11$ **11** 마리

4주 월 일

다음을 읽고 알맞은 덧셈식을 쓰고, 답을 구하세요.

어느 시골집에서 강아지를 7마리, 고양이를 5마리 키우고 있습니다. 이 집에서 키우는 강아지와 고양이는 모두 몇 마리일까요?

식 : $7 + 5 = 12$ **12** 마리

세훈이가 학교에 갔더니 5명의 친구들이 세훈이보다 먼저 학교에 와 있었습니다. 세훈이는 오늘 몇 번째로 학교에 온 학생일까요?

식 : $5 + 1 = 6$ **6** 번째

재성이네 사촌 누나는 재성이보다 4살이 많습니다. 재성이는 어린이집에 다니는 5살 아이입니다. 재성이의 사촌 누나는 몇 살일까요?

식 : $5 + 4 = 9$ **9** 살

P 68

④주

🌱 다음을 읽고 알맞은 덧셈식을 쓰고, 답을 구하세요.

형과 동생이 사탕을 먹고 있습니다. 형은 사탕 5개를 먹고, 동생은 9개를 먹었다면 두 사람이 먹은 사탕은 모두 몇 개일까요?

식 : 5 + 9 = 14   **14** 개

유정이는 색종이 5장을 가지고 있습니다. 수현이는 유정이보다 색종이 5장을 더 가지고 있습니다. 수현이가 가진 색종이는 몇 장일까요?

식 : 5 + 5 = 10   **10** 장

주영이는 어항에 금붕어를 5마리 키웁니다. 어느 날 아빠가 금붕어 8마리, 열대어 3마리를 사오셨습니다. 어항 속의 금붕어는 모두 몇 마리일까요?

식 : 5 + 8 = 13   **13** 마리

68 소마셈 – A1

1주차 ⓓrill   더하기 2, 3, 4

P 70 ~ 71

□안에 알맞은 수를 써넣으세요.

2 + 3 = **5**   3 + 4 = **7**

2 + 9 = **11**   4 + 8 = **12**

7 + 4 = **11**   5 + 4 = **9**

2 + 8 = **10**   7 + 3 = **10**

9 + 4 = **13**   4 + 4 = **8**

6 + 4 = **10**   3 + 9 = **12**

3 + 6 = **9**   2 + 7 = **9**

□안에 알맞은 수를 써넣으세요.

4 + 2 = **6**   3 + 5 = **8**

4 + 9 = **13**   3 + 8 = **11**

7 + 3 = **10**   4 + 8 = **12**

2 + 3 = **5**   2 + 9 = **11**

4 + 7 = **11**   3 + 4 = **7**

9 + 3 = **12**   3 + 3 = **6**

2 + 6 = **8**   2 + 5 = **7**

70 소마셈 – A1   Drill – 보충학습 **71**

1주차

P 72 ~ 73

□ 안에 알맞은 수를 써넣으세요.

4 + 3 = 7	3 + 7 = 10
2 + 6 = 8	8 + 3 = 11
5 + 3 = 8	9 + 4 = 13
6 + 4 = 10	9 + 3 = 12
7 + 4 = 11	3 + 2 = 5
8 + 3 = 11	3 + 6 = 9
4 + 8 = 12	3 + 5 = 8

□ 안에 알맞은 수를 써넣으세요.

3 + 2 = 5	4 + 9 = 13
3 + 5 = 8	3 + 6 = 9
2 + 4 = 6	4 + 5 = 9
2 + 9 = 11	4 + 7 = 11
4 + 6 = 10	3 + 3 = 6
9 + 2 = 11	3 + 8 = 11
4 + 4 = 8	2 + 7 = 9

72 소마셈 - A1

Drill - 보충학습 73

2주차

더하기 9, 8

P 74 ~ 75

□ 안에 알맞은 수를 써넣으세요.

9 + 2 = 11	1 + 9 = 10
9 + 9 = 18	7 + 8 = 15
7 + 8 = 15	9 + 8 = 17
2 + 9 = 11	8 + 9 = 17
4 + 9 = 13	8 + 4 = 12
9 + 3 = 12	3 + 9 = 12
2 + 8 = 10	8 + 5 = 13

□ 안에 알맞은 수를 써넣으세요.

8 + 8 = 16	8 + 5 = 13
1 + 8 = 9	4 + 9 = 13
7 + 9 = 16	8 + 9 = 17
8 + 3 = 11	5 + 8 = 13
8 + 7 = 15	3 + 9 = 12
2 + 8 = 10	8 + 4 = 12
9 + 6 = 15	9 + 5 = 14

74 소마셈 - A1

Drill - 보충학습 75

2주차

□ 안에 알맞은 수를 써넣으세요.

8 + 2 = 10   7 + 8 = 15

6 + 8 = 14   3 + 8 = 11

5 + 9 = 14   9 + 2 = 11

4 + 9 = 13   3 + 9 = 12

5 + 8 = 13   8 + 9 = 17

7 + 9 = 16   5 + 9 = 14

4 + 8 = 12   8 + 7 = 15

76 소마셈 – A1

□ 안에 알맞은 수를 써넣으세요.

9 + 1 = 10   5 + 8 = 13

9 + 4 = 13   9 + 3 = 12

3 + 8 = 11   6 + 9 = 15

8 + 6 = 14   7 + 8 = 15

8 + 4 = 12   7 + 9 = 16

9 + 2 = 11   8 + 8 = 16

9 + 5 = 14   9 + 9 = 18

Drill – 보충학습 77

P 76 ~ 77

3주차   더하기 7, 6

□ 안에 알맞은 수를 써넣으세요.

6 + 8 = 14   7 + 5 = 12

1 + 7 = 8   4 + 7 = 11

7 + 6 = 13   6 + 9 = 15

8 + 6 = 14   7 + 8 = 15

7 + 7 = 14   3 + 7 = 10

2 + 7 = 9   6 + 4 = 10

6 + 6 = 12   9 + 7 = 16

78 소마셈 – A1

□ 안에 알맞은 수를 써넣으세요.

7 + 1 = 8   2 + 6 = 8

6 + 7 = 13   7 + 9 = 16

7 + 7 = 14   8 + 6 = 14

7 + 3 = 10   5 + 6 = 11

8 + 6 = 14   6 + 9 = 15

7 + 8 = 15   8 + 6 = 14

1 + 6 = 7   3 + 6 = 9

Drill – 보충학습 79

P 78 ~ 79

3주차

□ 안에 알맞은 수를 써넣으세요.

6 + 4 = 10   7 + 2 = 9
2 + 6 = 8   3 + 7 = 10
5 + 6 = 11   6 + 6 = 12
4 + 7 = 11   7 + 5 = 12
5 + 7 = 12   7 + 7 = 14
6 + 7 = 13   6 + 3 = 9
8 + 7 = 15   7 + 9 = 16

80 소마셈 – A1

□ 안에 알맞은 수를 써넣으세요.

7 + 4 = 11   7 + 2 = 9
6 + 2 = 8   7 + 7 = 14
7 + 3 = 10   8 + 7 = 15
9 + 6 = 15   6 + 6 = 12
5 + 6 = 11   6 + 9 = 15
7 + 5 = 12   7 + 6 = 13
2 + 6 = 8   8 + 6 = 14

Drill – 보충학습 81

4주차   더하기 5

□ 안에 알맞은 수를 써넣으세요.

5 + 8 = 13   6 + 5 = 11
1 + 5 = 6   7 + 5 = 12
5 + 9 = 14   8 + 5 = 13
5 + 3 = 8   5 + 5 = 10
5 + 7 = 12   3 + 5 = 8
2 + 5 = 7   5 + 4 = 9
5 + 6 = 11   5 + 5 = 10

82 소마셈 – A1

□ 안에 알맞은 수를 써넣으세요.

8 + 5 = 13   5 + 5 = 10
4 + 5 = 9   3 + 5 = 8
7 + 5 = 12   5 + 9 = 14
5 + 9 = 14   5 + 8 = 13
8 + 5 = 13   5 + 3 = 8
5 + 6 = 11   7 + 5 = 12
5 + 4 = 9   5 + 7 = 12

Drill – 보충학습 83

P 80 ~ 81

P 82 ~ 83

4주차

□ 안에 알맞은 수를 써넣으세요.

5 + 3 = 8

2 + 5 = 7

5 + 4 = 9

5 + 6 = 11

5 + 8 = 13

9 + 5 = 14

5 + 7 = 12

5 + 1 = 6

4 + 5 = 9

7 + 5 = 12

8 + 5 = 13

5 + 5 = 10

5 + 4 = 9

5 + 6 = 11

□ 안에 알맞은 수를 써넣으세요.

5 + 5 = 10

3 + 5 = 8

4 + 5 = 9

5 + 6 = 11

5 + 7 = 12

5 + 8 = 13

5 + 6 = 11

5 + 1 = 6

8 + 5 = 13

9 + 5 = 14

6 + 5 = 11

5 + 4 = 9

5 + 9 = 14

5 + 2 = 7

P
84
~
85

Note

Note